Originele tuinideeën

Bloembakken

Originele
TUINIDEEËN

Bloembakken

Hans-Peter Haas

DELTAS

Inhoud

Zomerse bloembakken

De kleurencirkel eens een keer anders:
met het immense scala van bloemvormen en -kleuren kunt u imposante
creaties toveren.

Laat u betoveren door de natuur, de bloemen,
de geuren en de kleuren. Laat u inspireren
en stel met ons uw persoonlijke bloembak
op het balkon samen, met de complete bloemenpracht die de zomer te bieden heeft. In
dit boek vindt u kant-en-klare voorstellen voor

de beplanting van balkonbloembakken, die
voor beginners even geschikt zijn als voor
gevorderde hobbytuiniers. Degelijke composi-
tievoorbeelden kunt u rechtstreeks kopiëren of
er inspiratie voor eigen creatieve oplossingen
uit putten. Het praktijkdeel biedt waardevolle
aanwijzingen en nuttige tips voor een succesvol
balkonseizoen. Foto's op de voor- en achterflap
geven u een goed idee van hoe alle gebruikte
planten eruitzien. In totaal hebben we 54 degelijke plantensoorten uitgekozen, die samen
een verbluffende diversiteit aan combinaties
mogelijk maken.

Degelijke combinaties

Alle suggesties voor de opstelling hebben hun
degelijkheid bewezen en zien er in werkelijk-
heid ook zo uit. Nadruk wordt daarbij gelegd op
de vermelde variëteiten (bijv. de pelargonium
'Grand Prix'), omdat vaak alleen precies deze
een bepaalde gewenste eigenschap vertonen.
Alleen waar cultivars inwisselbaar zijn, wordt
de voorkeur voor een bloemenkleur vermeld en
dient de in het plan gebruikte variëteit slechts
als voorbeeld.
In principe is nagenoeg elke kleurencombinatie
mogelijk. Want over smaak valt immers niet te
twisten! Profs letten bij de samenstelling van
kleuren echter wel op de kleurenleer.

De zogenaamde 'drieklank' bestaat uit krachtige kleuren, die uitstekend bij elkaar passen. Anderen geven de voorkeur aan 'complementaire kleuren', dat wil zeggen kleuren die elkaars effect nog eens versterken. Een voorbeeld daarvan zijn de kleuren geel en violet.

Daarnaast onderscheiden we nog warme en koude tinten of kleurovergangen, die de bloembak een uiterst persoonlijk cachet kunnen geven.

Bij de meeste van de volgende ideeën voor de opstelling wordt uitgegaan van een standplaats in de volle zon of in halfschaduw, waarbij verschillende kleurencombinaties voorgesteld worden. We gaan ook in op schaduw als belangrijk deelaspect en eveneens op de onderwerpen moes- en geurbalkon.

Bij alle voorbeelden gebruiken we brede bakken (breedte: 20 cm), die in twee rijen beplant zijn. We kunnen verschillende soorten groeiwijze onderscheiden. **Dominante planten** bepalen de basisplattegrond van de bak en tekenen het patroon. **Bijplanten** maken een speelse, aanvullende vormgeving mogelijk.

Met verbazingwekkend eenvoudige middelen, die uitvoerig in dit boek besproken worden, kunt u uw balkon omtoveren in een groene oase van rust en vermaak en daardoor uw levensgevoel positief beïnvloeden. Iedereen zal onder de indruk zijn. Maak dus uw dromen waar en geef uw balkon een metamorfose zodat het een plaats van rust en verademing wordt. Veel plezier daarbij!

De praktische schikking van de dominerende planten en opvullende bijplanten maakt telkens weer nieuwe bloemencomposities mogelijk.

Balkonklassiekers in rood en geel

De belangrijkste en beslist ook succesvolste balkonplant is en blijft de pelargonium (vaak ook 'geranium' genoemd).

Deze plant is vooral op het platteland enorm geliefd en siert ontelbare balkons en terrassen. Het lijkt wel alsof pelargoniums zich met name op de balkons van boerderijen prima in hun element voelen. Al van verre zichtbaar strijden de bloemengevels om de gunsten van de kijker. Vaak bepalen weelderige pelargoniumbalkons het beeld van complete dorpen en gehuchten. Het verwondert dan ook niet dat veel bloemenliefhebbers telkens weer terugrijpen naar deze klassieker. En terecht, want de plant straalt ongeëvenaard en trakteert op een weelderige, langdurige bloemenrijkdom. Steeds vaker plant men tegenwoordig echter geen 'zuivere' pelargoniumbak meer aan, maar onderbreekt men de rode bloemenband door andere, meestal contrasterende kleuren. Of dat dan wit, blauw of geel is, is een kwestie van persoonlijke smaak. In ons voorbeeld versterkt het gele tandzaad nog eens de toch al krachtige werking op afstand.

2

Wat u nodig hebt

1. 4 x tuingeranium
   (Pelargonium x hortorum)
   'Grand Prix', felrood

2. 2 x tandzaad
   (Bidens ferulifolia)
   'Compact', geel

3. 1 x hanggeranium
   (Pelargonium peltatum)
   'Leucht-Cascade', felrood

Hoe u moet planten

Deze uiterst aantrekkelijke bloembak is heel bewust met slechts heel weinig exemplaren van elke soort beplant.

Elke plant van deze opstelling is op zich zo dominant en stelt zoveel eisen dat die voldoende leefruimte nodig heeft. Als u zich niet zo goed mogelijk aan het plantenschema houdt, bestaat de kans dat ze elkaar gaan overgroeien en overstemmen.

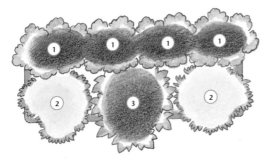

Beplantingsplan voor blz. 9; bak van 80 x 20 cm

In de loop van de zomer ontplooien de planten in de bloembak zich snel en dan zal blijken dat de 'zuinigheid' volledig gegrond was, meer planten zouden een te druk effect geven.

Op de achterste rij komen vier **tuingeraniums**. Plant daarvoor een sierlijke **hanggeraniums** en links en rechts daarvan het tandzaad.

Vindt u dat de hanggeranium te weinig opvalt, dan kunt u de soorten op de voorste rij eenvoudigweg omwisselen: slechts één tandzaad in het midden en in ruil daarvoor twee hanggeraniums aan weerszijden van de bloembak.

Plant de twee rijen verspringend ten opzichte van elkaar. Let ook op de juiste variëteiten! De trend bij geraniums is momenteel cultivars met donker blad.

Deze nieuwe pelargoniumgeneratie met veel optische verbeteringen is ongelooflijk attractief. Het enige minpunt is het groeikarakter: de planten groeien zeer compact, wat er dikwijls toe leidt dat het verwachte effect in de bloembak uitblijft.

In het voorbeeld is daarom heel bewust gekozen voor een cultivar die sterk groeit. Bij de hanggeraniums bevelen we de enkelbloemige cascade aan. Deze oude bekende is buitengewoon robuust en rijkbloeiend.

Wat het **tandzaad** betreft hebben kwekers zeer waardevol werk geleverd en de enorme groei van de oude en meest bekende variëteiten is inmiddels beteugeld.

Gebruik cultivars die compact groeien, want anders begint de plant al snel te woekeren. Tandzaad groeit als kussentjes en neemt aan de bakrand snel het karakter van een hangplant met sensationele bloemenrijkdom aan.

Hoe u de planten verzorgt

Geraniums behoren tot de balkonbloemen die nauwelijks verzorging vergen en zijn feitelijk ideaal voor iedereen die maar weinig tijd heeft. Schijnbaar **zonder pauze** bloeien de planten **onafgebroken** van april tot in de herfst. Pelargoniums of geraniums geven de voorkeur aan volle zon – dan spreiden ze hun bloemenpracht maximaal tentoon.

In de halfschaduw boet hun bloei vooral in de late zomer sterk in aan rijkdom; vaak worden dan nog uitsluitend bladeren gevormd.

Bij gevuldbloemige geraniums is extra beschutting tegen wind en regen raadzaam, omdat de stelen anders nauwelijks het gewicht van de bloemen kunnen dragen. Een ver uitstekend geveldak zou bijvoorbeeld ideaal zijn als beschutting.

Pelargoniums verdragen gelukkig grote droogte. Let niettemin op een voldoende vochtig substraat met toereikende voedingsstoffen. Bij 'hongerige' planten neemt eerst de bloei af en al gauw kleurt het blad lichtgeel. Mest daarom elke week (zie het praktijkdeel). Door langere regenperioden kunnen bloemen en bladeren gaan rotten. Dan is het raadzaam om de planten nu en dan te snoeien. Dit is niet alleen raadzaam voor het uitzicht van de bloembak, maar daarmee garandeert u ook de volgende bloei van de planten.

Tandzaad demonstreert eens te meer zijn groeikracht. Zelfs pelargoniums kost het grote moeite om zich op hun plekje te handhaven.

De enkelbloemige hanggeraniums zijn daarentegen aangenaam zelfreinigend, dat wil zeggen: uitgebloeide bloemblaadjes vallen vanzelf af. Extra verzorgingsmaatregelen kunt u derhalve achterwege laten.

Tandzaad kan deze zelfreinigende eigenschap eveneens vertonen. Hier groeien de planten eenvoudig over de oudere bloemen heen en presenteren ze zich zo telkens weer in 'zondagskleren'. Ze verdragen wind en regen, maar reageren gevoelig op aanhoudende droogte.

Wat u ook kunt nemen

i.p.v. (2) 1 x petunia Surfinia (*petunia x atkinsiana*) 'Sky Blue', hemelsblauw

Zonnige kleuren voor het balkon

Geel en oranje zijn de symbolische kleuren voor zomer, zon en warmte. Kijkt u voor uw altijd zonnige balkon op het zuiden uit naar geschikte planten, dan vervult dit palet al uw dromen. De voorgestelde plantencombinatie werkt in de eerste plaats met warme, vriendelijke kleuren en straalt daardoor een levendige, opvallende vrolijkheid uit, die aanstekelijk zal werken op iedere bezoeker die er zijn oog op laat vallen.

Bloemen openen zich bij zonneschijn

De keuze van planten is heel bewust afgestemd op soorten die hun schoonheid pas of vooral in volle zon ontvouwen.

De bloemen van de gazania en ook die van de Spaanse margriet gaan bijvoorbeeld pas open als de warme zonnestralen ze tot leven wekken. Bij regen, duisternis of sterke schaduw sluiten de individuele bloemen zich vrijwel onmiddellijk, waarna ze bij de volgende meer zonnige gelegenheid opnieuw hun unieke schoonheid tentoonspreiden.

1 x struikmargriet
(Argyranthemum frutescens)
'Butterfly', geel

Wat u nodig hebt

2. 2 x zinnia
   (Zinnia angustifolia)
   'Classic', oranje

3. 2 x Spaanse margriet
   (Osteospermum ecklonis)
   'Orange Symphonie', oranje

4. 2 x golden dollar
   (Asteriscus maritimus)
   'Gold Dollar', geel

5. 2 x gazania
   (Gazania rigens)
   'Czardas Orange', oranje

6. 1 x kleinbloemige petunia
   (Petunia x atkinsiana)
   'Million Bells Lemon', geel

Hoe u moet planten

Optisch worden de zes verschillende soorten streng symmetrisch geschikt.
De hoger wordende planten staan op de achterste rij, de lagere bijplanten komen vooraan in de bloembak en daartussen de hangplanten.

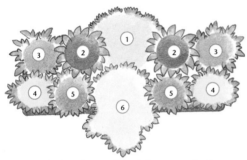

Beplantingsplan voor blz. 13; bak van 100 x 20 cm

De dominante plant op de achterste rij is de gele **struikmargriet**. De variëteit 'Butterfly' behoort absoluut tot de beste gele cultivars die de markt momenteel te bieden heeft. Links en rechts daarvan gedijen enkelbloemige **zinnia's**. De sierlijke oranje bloemen kunnen uitstekend tegen regen en bloeien onafgebroken tot de vorst. De **Spaanse margrieten**, achteraan aan de buitenkant, zullen de ruimte benutten en voor de afgrenzing naar de zijkant zorgen.

De 'Symphony'-reeks biedt uiterst opmerkelijke, nieuwe cultivars, die in alle zomermaanden een onuitputtelijke bloemenpracht beloven.
In het centrum van de voorste rij staan kleinbloemige **petunia's**. In de loop van de zomer kunnen ze zich tot een soort hangplanten ontpoppen. De gebruikte variëteit 'Million Bells Lemon' met haar typische bossige groei opent haar bloemen ook bij miezerig weer en onderscheidt zich daardoor van vele gelijksoortige cultivars.
Compleet tegengesteld daaraan kan **gazania** niet zonder hoog aan de hemel staande zon – pas dan gaan de bloemen helemaal open. Ze vergoedt het ruimschoots met een imposante kleurintensiteit.
De **golden dollar** met zijn goudgele bloemen boven de ietwat dikke bladeren dient alleen al om zijn omvang een plekje te krijgen in de voorste rij van de bak, bovendien staat hij daar ideaal in de zon.

TIP

Met een automatisch bewateringssysteem of een bloembak met watervoorraad bespaart u tijd aan gieten en mesten.

Hoe u de planten verzorgt

Op het zonnebalkon is water geven een van de belangrijkste verzorgingsmaatregelen. Probeer dit zo regelmatig mogelijk te doen.

Een droge kluit of waterstuwingen in het substraat leiden tot bladverkleuring (bladchlorose), groeistilstand en in het ergste geval afsterven van de plant. Mogelijk moet u regelmatig gieten, vaak tweemaal per dag, om in de behoefte van de planten te voorzien.

Op de warme dagen van het jaar moet u per strekkende meter bloembak misschien wel ongeveer tien liter toevoegen. Bedenk dat u eenmaal uitgedroogd substraat nog maar heel moeilijk opnieuw vochtig krijgt. Alleen al daarom is het raadzaam om op een gelijkmatige vochtigheid te letten.

De verzorging van de hier voornamelijk gebruikte composieten (**struikmargriet, zinnia, Spaanse margriet, golden dollar** en **gazania**) beperkt zich hoofdzakelijk tot het wegknippen van uitgebloeide bloemen. Dat verhindert de zaadvorming en bevordert de nieuwe knopvorming en volgende bloei.

Helaas strijken mineervliegen graag op de gele **chrysanten** neer. De bladeren vertonen dan typische mineergangen (kronkelende, bruine en droog wordende lijnen) en worden snel lelijk. Redding kunnen hier de zogenoemde combistaafjes bieden (verkrijgbaar bij de speciaal-

De gele en oranje bloemkleuren van de mini-petunia 'Million Bells' en de zinnia zijn voortreffelijk te combineren met het blauw van de tuinlobelia.

zaak). Houd u strikt aan de gebruiksinstructies op de verpakking.

Vergeelde (chlorotische) bladeren aan schattige mini**petunia's** duiden op vochtstuwingen of ijzergebrek.

Ter preventie kunt u een speciale ijzermeststof door het substraat mengen. Mest in het voorkomende geval gericht met ijzer. Let erop dat de pH-waarde van het substraat niet hoger dan 6,5 wordt, omdat anders belangrijke voedingsstoffen (ijzer) niet meer beschikbaar zijn. U zou in dit opzicht geen problemen mogen ondervinden wanneer u regelmatig fysiologisch zuur werkende meststof toevoegt en gepast op de waterbehoefte inspeelt.

Ongewoon arrangement in rood en geel

Hier kunt u inspiratie opdoen wanneer u van 'apart' houdt en graag experimenteert. Deze beplanting is allesbehalve 'doorsnee'. De planten zijn bewust uitgekozen om de bloembak een zeer individueel karakter te geven.

Het is allerminst denkbeeldig dat hiermee een nieuwe bloembakgeneratie het levenslicht aanschouwt.

Klimplanten in de bak

Voor velen zullen de gebruikte soorten relatief nieuw zijn, en zelfs oude rotten zullen nog verbaasd staan.

Het bijzondere is ongetwijfeld het gebruik van een klimplant, die naar boven of in een totale andere richting geleid kan worden. Bewondering is in ieder geval gegarandeerd en nieuwsgierige vragen zijn logisch. Hoewel de nieuwigheden nog slechts zelden op balkons te zien zijn, verdienen ze onze volle aandacht. Maar wees niet bang, de verzorging van deze planten blijft binnen de perken en ook zonder 'groene vingers' zult u beslist veel plezier aan deze opstelling beleven.

① 2 x pantoffeltje
(*Calceolaria integrifolia*)
'Brigrar Elite', geel

② 1 x suzanne-met-de-mooie-ogen
(*Thunbergia alata*), geel

Wat u nodig hebt

3. 2 x siertabak *(Nicotiana* x *sanderae)* 'Tuxedo Red', rood

4. 1 x Oost-Indische kers *(Tropaeolum majus)* 'Red Wonder', rood

5. 2 x teunisbloem *(Oenothera fruticosa)* 'African Queen', geel

6. 1 x muizenoren *(Cuphea llavea)* 'Torpedo', rood met donkerblauw hart

7. 1 x alonsoa *(Alonsoa meridonalis)* 'Fireball', oranje

Hoe u moet planten

Een klimplant in de bloembak is niet overal op zijn plaats, maar hier is de *Thunbergia* een bijzondere blikvanger. Wilt u de **suzanne-met-de-mooie-ogen** naar boven leiden, dan moet u een eenvoudige klimsteun installeren, bijvoorbeeld in de vorm van ontbaste wilgentakken of een spalier van bamboe. Let erop dat ze de andere planten in de bloembak niet overgroeit.

Beplantingsplan voor blz. 17; bak van 120 x 20 cm

alternatieven zijn de zaaicultivars 'Goldari' en 'Goldbukett'.

In het centrum van de voorste rij pronken de **muizenoren**, een nieuwigheid met ongewoon bizarre bloemvormen. De buisvormige bloemen doen inderdaad aan de oren van het knaagdier denken.

Daarnaast trakteren **teunisbloemen** op hun citroengele bloemen. Deze nieuwe plant moet aan de bakrand worden geplaatst, omdat daar de hangende groeiwijze voortreffelijk tot zijn recht komt.

Een andere bijzonderheid is de **Oost-Indische kers** 'Red Wonder'. Al bij de eerste aanblik is iedereen gefascineerd door de bloedrode bloemen boven het donkergroene blad.

Een volledig ander groeikarakter vertoont de niet minder effectvolle *Alonsoa* 'Fireball'. De sierlijke, uiterst attractieve plant vormt ontelbare oranjerode bloemen.

Links en rechts daarvan stralen de rode bloemen van de **siertabak**. Let er bij het kopen al op dat u een compact groeiende variëteit kiest, die niet hoger dan 50 cm wordt.

De rij planten wordt afgesloten met gele **pantoffeltjes**. De door stekken vermeerderde variëteit 'Brigrar Elite' is het meest geschikt. Goede

TIP

Alonsoa en siertabak kunt u na de hoofdbloei licht terugsnoeien om nieuwe scheutvorming en een volgende bloei te stimuleren.

Hoe u de planten verzorgt

Suzanne-met-de-mooie-ogen smeekt om een plekje in het licht, met beschutting tegen de wind. Met regelmatig toedienen van water- en mest groeit ze ongeremd. U hoeft alleen de scheuten van tijd tot tijd in de gewenste richting te leiden.

Siertabak bloeit zonder veel poespas van mei tot einde herfst. Belangrijk is de keuze van de variëteit, omdat te hoog wordende cultivars, vooral op plaatsen waar ze aan wind blootstaan, omkiepen en daardoor de buurplanten kunnen schaden.

Pantoffeltjes zijn zoals bekend niet geheel on-problematisch. Ze reageren met ijzergebrek bij tijdelijke vochtstuwingen of een substraat met hoge pH-waarde. Hou deze gevoelige plantjes dus maar goed in de gaten.

De typische chlorotische bladverkleuringen kunt u meestal met een gerichte ijzerbemesting weer uit de wereld helpen. De planten zijn gevoelig voor zout en vertonen snel de typische bladverbrandingen. Bovendien neemt de bloeirijkdom dan aanzienlijk af.

Muizenoren komt gewoonlijk pas half mei in volle bloei, maar de plant vergoedt dat met een onvermoeibare bloementooi tot de vorst. De plant is prima bestand tegen het weer en vergt geen omvangrijke snoei. Er kleeft wel één manco aan: luizen zijn er dol op. Maar de al ge-

De donkergroene bladeren van de Oost-Indische kers contrasteren attractief met de bloedrode bloemen en getuigen van een optimaal substraat.

noemde combistaafjes verhelpen dit probleem op een heel eenvoudige manier.

Bij de **Oost-Indische kers** is de bemesting altijd een kwestie van balanceren. Bij royale bemesting worden de planten robuust, maar laat hun bloei te wensen over. Hongerige planten produceren daarentegen bloem na bloem, maar van ver is al aan de bladeren te zien waaraan het ze ontbreekt. Streef daarom naar de gulden middenweg, naar stevige, groene bladeren en een prachtig bloementapijt tegelijk.

Teunisbloem bloeit gegarandeerd lang zonder dat u er veel omkijken naar hebt.

Een bloembak in elegant wit-blauw

De keuze en combinatie van uiterst bekoorlijke bloemvormen en -kleuren verlenen deze bloembak een totaal persoonlijke touch. Deze bloemenkeuze oogt tegelijkertijd nieuw en tijdloos, en zal vriend en vijand weten te bekoren.
Door de opvallend slanke groeiwijze van de siersalie straalt het bloemenarrangement een deftige elegantie uit. Haast gewichtloos wiegen de zilverwitte en blauwe aren in de wind.
Het telkens terugkerende kleurenspel van wit en blauw straalt bovendien rust en sierlijke terughoudendheid uit. Met name de blauwe schakeringen zorgen ook op de warme dagen van de zomer voor aangename frisheid.

Harmonieus afgestemde planten

De combinatie van oude bekende en nieuwe, voor een deel herontdekte planten is hier meesterlijk geslaagd en levert een beeld van volkomen natuurlijke harmonie en lichtheid op. Een werkelijk optimaal kader voor een plekje om te ontspannen en bij te komen, zoals het eigen balkon kan zijn.

1 **2 x Spaanse margriet**
(Osteospermum ecklonis)
'Polarstern', wit met blauw hart

Wat u nodig hebt

2. 2 x meelsalie
   (Salvia farinacea)
   'Victoria', blauw

3. 1 meelsalie
   (Salvia farinacea)
   'Silver', zilverwit

4. 2 x grootbloemige petunia
   (Petunia x atkinsiana)
   Surfinia 'Blue', blauw

5. 2 x zilverschildzaad
   (Lobularia maritima)
   'Snowdrift', wit

6. 1 x guichelheil
   (Anagallis monelli) 'Skylover',
   koningsblauw

Hoe u moet planten

In deze plantencombinatie springen de graciele, slanke bloempluimen van de **meelsalie** direct in het oog. De blauwe en zilverwitte bloemen verschijnen van mei tot september en zijn uitstekend bestand tegen het weer. Zelfs wind en storm kunnen deze dankbare balkonbloem nauwelijks deren.

Beplantingsplan voor blz. 21; bak van 120 x 20 cm

Tussen de salie komen twee **Spaanse margrieten**. Heel bijzonder zijn hun attractieve bloemen. Als kostbare edelstenen straalt het blauwe hart tussen de witte lintbloemen. In de loop van de zomer komt de plant steeds weer opnieuw in bloei, maar ze last nu en dan ook een 'adempauze' in. In het midden van de voorste rij pronkt **guichelheil** *(Anagallis)*. De plant groeit aanvankelijk nog recht omhoog, maar gaat al gauw overhangen. Een verklaring voor de vooralsnog geringe bekendheid van de plant is dat die begin mei, bij de aanvang van het nieuwe balkonseizoen, meestal nog geen bloemen draagt. Dat verandert in de loop van de zomer echter enorm. Massaal verschijnen koningsblauwe bloemen van een schoonheid zoals we maar zelden aantreffen.

Zilverschildzaad is de ideale aanvullingsplant. Bijna zonder bloeipauze verschijnen de witte bloemtrossen van de variëteit 'Snowdrift' en zo sorteren ze een schitterend effect. Als typische bodembedekker krijgt zilverschildzaad een plekje aan de bakrand, waar het kussenvormend, overhangend kan groeien.

Totaal in tegenstelling daarmee leggen de Surfinia-**petunia's** een tomeloze groei aan de dag met een overweldigende bloemenrijkdom. In de loop van de zomer ontstaan ware bloementapijten.

TIP

Lijden petunia's ijzergebrek, herkenbaar aan een bleekgele bladverkleuring, geef de planten dan met het gietwater een speciale ijzermeststof.

Hoe u de planten verzorgt

Naar de **siersalie** hebt u nagenoeg geen omkijken. Wel mogen luizen graag neerstrijken op de geurende bloempluimen. Bij gebrek aan natuurlijke tegenspelers om de luizen tegen te gaan, kunt u beschermende plantenstaafjes in de strijd werpen.

Spaanse margrieten bloeien niet altijd continu. Voor de vorming van bloemen hebben ze immers koele temperaturen of de lange dagen van de zomer nodig.

Let er daarom bij de aanschaf al op dat de planten een duidelijke knopvorming vertonen; anders verschijnen de bloemen meestal wat later op het jaar.

De kleur blauw lokt bloementrips aan. Geen wonder dus dat de bloemen van **guichelheil** een bijna magische aantrekkingskracht op deze schadelijke beestjes uitoefenen.

Meestal zullen we de trips moeten tolereren in de bloembak; hij is in de natuur eigenlijk alomtegenwoordig en echt bestrijden kunnen we hem niet.

Zilverschildzaad vertoont in elke situatie een verbazingwekkende weerstand en is robuust. De variëteit 'Snowdrift' bloeit betrouwbaar. Staan de planten langere tijd droog of te donker, dan kan het echter gebeuren dat hier en daar een bloem afvalt. Dan wordt enig geduld gevraagd tot er zich nieuwe vormen.

De blauwe en zilverwitte pluimen van de meelsalie zijn een welkome partner voor het rozebloeiende vlijtig liesje en ijzerhard.

Hoewel de door stekken vermeerderde **petunia's** prima bestand zijn tegen regen en slechter weer, is een luifel/afdak altijd gunstig voor ze. U kunt ze beter niet aan alle weersomstandigheden blootstellen. Petunia's staan bekend als 'zuipers' en 'eters' – u snapt het al: de planten vragen om rijkelijke hoeveelheden water en voeding. Aanbevolen wordt om regelmatig te voeden met een fysiologisch zuur werkende, complete meststof. Daarmee bent u ervan verzekerd dat er geen ijzergebrek optreedt, dat de bloemen stralend blijven en de bladeren stevig.

Een combinatie in zachte tinten

Deze zomerse plantencombinatie ziet er lieflijk en speels uit. De oostkant van het huis biedt hiervoor zonder meer de gunstigste omstandigheden. De zachte kleurschakeringen verspreiden een aangename sfeer met een bijzondere charme. Omlijst met blauw versmelten wit en roze tot een unieke kleurbelevenis.

De mikania is een belangrijke, verbindende schakel tussen de horizontale en verticale assen van het geheel. Met het buitengewone sierblad contrasteert de plant allermooist met de andere planten in de bloembak.

De blauwe waaierbloem zal beslist snel contact opnemen, groeien in de richting die u wenst en later toch haar geheel eigen weg gaan.

Beide dingen zullen naar de gunst van de roze elfenspoor zijn, die aanvankelijk nog omhoog groeit, maar al vlug de sprong naar voren over de bakrand zal wagen.

In de loop van de zomer bereikt deze plantencombinatie een onvermoede rijkdom, die bij iedere bloemenliefhebber bewondering zal afdwingen. De zachte tinten van deze bloembak weten iedereen te plezieren.

1 **3 x siertabak**
(Nicotiana x sanderae)
'Dynamo', wit

Wat u nodig hebt

2 x staande lobelia
(Lobelia valida),
blauw met wit hart

2 x waaierbloem (Scaevola
saligna) 'New Wonder', blauw

2 x mikania
(Mikania scandens), groen

1 x elfenspoor
(Diascia vigilis)
'Elliott's Variety', roze

Hoe u moet planten

De dominante plant op de achterste rij is zonder meer de witte **siertabak**. Heel bewust is gekozen voor een laagblijvende variëteit met grote standvastigheid die de dichtheid van de achtergrond kan garanderen.
'Dynamo White' wordt in de loop van de zomer tot 50 cm hoog en is daarmee de beste partner voor de blauw-witbloeiende **Lobelia valida**.

Beplantingsplan voor blz. 25; bak van 100 x 20 cm

Deze nog zelden gebruikte balkonplant met een karakteristieke rechtopgaande groei bereikt niet dezelfde hoogte als de siertabak. De aparte bloemen verschijnen van mei tot september en verdienen eigenlijk meer aandacht.
Direct voor de siertabak verheffen zich de roze leeuwenbekachtige bloemen van de **elfenspoor**.

De cultivar 'Elliott's Variety' groeit aanvankelijk de hoogte in, maar schuift vervolgens de pluimen naar boven, zodat ze later naar voren overhangen. Hoewel de plant er erg fragiel, haast breekbaar uitziet, is elfenspoor uitzonderlijk goed bestand tegen het weer.
Zelfs tijdens een aanhoudende regenperiode verliest ze nauwelijks vitaliteit. De overdadige bloemenpracht verschijnt van april tot oktober en de schoonheid ervan verbaast ons telkens weer, ook de houdbaarheid van de individuele bloemen blijft verrassend.
De **mikania** zal snel zijn weg over de bakrand ver naar beneden vinden. Het donkergroene, frisse, glanzende blad vormt de perfecte achtergrond voor de roze *Diascia*bloemen of het zachte blauw van de waaierbloemen.
Wie eenmaal een **waaierbloem** in de bloembak of ampel heeft geplant, zal ze absoluut niet meer willen missen.
De blauwbloeiende plant is uitstekend bestand tegen wind en weer en presenteert zich meestal uiterst attractief. De scheuten groeien, als ze nog jong zijn, eerst horizontaal en later met zwier naar beneden. In elke bladoksel verschijnen nieuwe bloemen. Lukt het u om de groei erin te houden, dan wordt u tot aan de vorst getrakteerd op een overschuimende blauwe bloemenzee.

Hoe u de planten verzorgt

In dit geval bepaalt de bladsierplant de standplaats van de bloemen. De **mikania** reageert gevoelig op directe zon en heeft toch op de warme uren van de dag enige schaduw nodig. Anders wordt ze getroffen door bladverbranding en zonnebrand, al helemaal wanneer u onregelmatig water geeft. Verzorg de plant dus goed.

Verwijder in geval van bladverbranding ingedroogde bladeren of scheuten om *Botrytis* of rotten te voorkomen. Zelfs op een balkon met schaduw kan mikania nog prima uit de voeten. Dat kunnen we een **siertabak** niet aandoen, want deze plant heeft meer zonlicht nodig. Toch kan enige beschutting tegen de zon in de middaguren ook hem enige stresssituaties besparen. Met name de tabaksvariëteiten met groot blad neigen er bij sterke zon naar plotseling te verwelken. Meestal zijn de fijne zuigwortels niet in staat om voldoende water naar boven en naar de bladeren te dirigeren.

De siertabak bloeit zonder erg veel verzorging heel de zomer door. De bloemstelen na de eerste hoofdbloei ietsje terugsnoeien is een verstandige maatregel, die de verdere bloemvorming stimuleert. Hetzelfde geldt voor de **elfenspoor**. Vaak volstaat het hier om de oudere bloempluimen af te knippen. **Staande lobelia**, **elfenspoor** en **waaierbloem** reageren

Hanggeraniums en waaierbloemen bloeien niet alleen onvermoeibaar lang, maar creëren ook interessante kleurovergangen.

stuk voor stuk erg gevoelig op vochtstuwingen in de grond. Alle drie hebben ze een licht zuur substraat nodig. Bij gebruik van hard, kalkrijk gietwater en ontoereikende voeding dreigt de pH-waarde van de grond te hoog te worden. Dat leidt onvermijdelijk tot ijzergebrek voor de planten, wat optisch aan de typische, gele bladverkleuringen te herkennen is. IJzergebrek bij planten valt onmiddellijk op en is gelukkig gemakkelijk te verhelpen. Geef daarom regelmatig een fysiologisch zuur werkende, complete of speciale ijzermeststof. Daarmee kunt u ijzerchlorose bij planten zowel vermijden als neutraliseren.

Zuivere lichtintensiteit: kleurencontrast tussen geel en blauw

Tegenpolen trekken elkaar aan. Op die manier moeten we de bijzondere effecten van de zogenoemde complementaire kleuren interpreteren. In de kleurencirkel staan ze immers recht tegenover elkaar en ze proberen elkaar voortdurend te overtreffen.

Balkonbloemen voldoen vaak op volstrekt natuurlijke wijze aan deze richtlijn. Denk alleen al aan rode bloemen boven een donkergroen blad. Het eindresultaat is zuivere lichtintensiteit! Klassieke kleurenparen zijn rood/groen, blauw/oranje en geel/violet.

Onderbeplanting als kleurversterker

In het voorstel van deze opstelling omkadert de violetblauwe tuinheliotroop de gele struikmargriet. Dit contrastrijke kleurenspel is nauwelijks te overtreffen.

Zelfs de onderbeplanting in blauw en geel streeft ernaar het kleurencontrast nog te versterken. De gebruikte soorten hebben allemaal het liefst een standplaats in de zon tot halfschaduw.

1 2 x tuinheliotroop *(Heliotropium arborescens)* 'Marine', blauw

2 2 x struikmargriet *(Argyranthemum frutescens)* 'Butterfly', geel

Wat u nodig hebt

Hoe u moet planten

In deze opstelling worden in totaal vijf verschillende plantensoorten gebruikt die elkaar in vele opzichten uitstekend aanvullen.

Op de achterste rij komen in het midden twee **struikmargrieten**. De variëteit 'Butterfly' straalt van verre zichtbaar geel. De planten groeien compact en sterk vertakkend en worden in de loop van de zomer tot 50 cm hoog en soms even breed. Zorg dat ze de andere planten niet overgroeien.

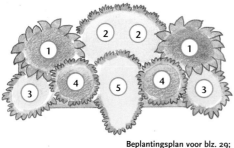

Beplantingsplan voor blz. 29; bak van 100 x 20 cm

Links en rechts ervan worden **tuinheliotropen** geplant. Ze creëren het optische kader voor de grootst mogelijke lichtintensiteit. Heliotroop groeit de hoogte in en wordt, afhankelijk van de variëteit, 30 tot 50 cm hoog. De cultivar 'Marine' ontwikkelt diepblauwviolette schermbloemen en verspreidt een intensieve vanillegeur. Geen wonder dus dat er onafgebroken bijen en vlinders op aan te treffen zijn.

Australisch madeliefje en **thymophylla** zijn uitstekende bondgenoten. Beide soorten lijken op elkaar qua uiterlijk – op de bloemkleur na – en eisen. De planten worden ongeveer 20 cm hoog en vormen schitterende, overhangende 'bloemenkussens'. Gele en blauwe bloemen maken voortdurend hun opwachting en versmelten in een homogeen bloemenkussen. Daarnaast ontwikkelt de **huzarenknoop** zijn sierlijke gele bloemen met bruin hart. Hij lijkt haast op een kleine zonnebloem. Als typische bodembedekker past hij zich heel precies aan de groei van de madeliefjes en thymophylla's aan. Deze plant is voor iedere bloemenliefhebber een aanwinst. Naast een aantal uitstekende andere cultivars is sinds kort 'Aztekengold' in opmars.

TIP

Tuinheliotroop is ook een prima kuipplant – zelfs op stam. Dan loont ook overwinteren. Bewaar de planten koel en relatief droog.

Hoe u de planten verzorgt

Struikmargrieten zijn grote slokoppen. Mest ze daarom goed, zodat ze hun ware bloemenrijkdom kunnen ontwikkelen.

Het loont om de uitgebloeide bloemen af te knippen; de bloemvorming gaat dan aan de vertakte uiteinden gestaag door.

Helaas strijken mineervliegen graag neer op de gele tuinmargrieten. Op de bladeren herkent u al heel gauw de karakteristieke mineergangen (kronkelend, bruinig blad) met de schadelijke insecten. Het beste kunt u aangetaste bladeren meteen verwijderen en beschermende plantenstaafjes in de strijd werpen.

Het is nauwelijks te geloven, maar de **tuinheliotroop** en dadelpalm hebben iets gemeen: beide staan graag met 'het koppetje in het vuur' en de 'voeten in het water'. Of anders gezegd: tuinheliotroop verkiest een zonnige standplaats en regelmatig vochtig substraat.

Deze aangenaam geurende plant reageert op aanhoudende droogte met een verbrand blad. Een groot aantal bladeren droogt letterlijk in en verkleurt donker. Bruin wordende bloemschermen zijn een zeker teken dat het eerste hoogtepunt van bloei ten einde loopt. Ga dan waar nodig met de schaar aan de slag om het uiterlijk te herstellen.

Het prachtige **Australisch madeliefje**, de **thymophylla** en ook de weelderige **huzarenknoop**

Het geel van de struikmargriet en het blauwviolet van de tuinheliotroop zijn een schoolvoorbeeld van de lichtintensiteit van complementaire kleuren.

gedijen op een standplaats met veel licht. Op schaduwrijke plekjes blijft de bloei eerder verborgen. De planten reageren uiterst gevoelig op zowel vochtophopingen als droogte. Hou dit dus goed in de gaten.

Staan ze te nat, dan kunnen wortelziekten optreden en verkleuren de bladeren geel. Vergeet u echter de planten water te geven, dan kunt u er gif op innemen dat complete plantendelen afsterven. Als dit gebeurt, zult u veel geduld moeten oefenen totdat de planten er weer bovenop komen.

Romantische stemming met roze en wit

De zomer presenteert zich hier zacht en terughoudend. Harmonieus versmelten de kleuren van roze naar wit en ze creëren een romantische stemming. En toch wordt deze opstelling geen moment saai, daarvoor staan alleen al de vele verschillende, prachtige bloemvormen en bladtekeningen garant.

Een soortenrijke mix

Hoewel in deze bloembak een plekje is ingeruimd voor relatief veel soorten blijft ernstige concurrentie achterwege. De verschillende soorten benutten handig de vrije ruimte. De verbena's, maar ook de hondsdraf laten hun scheuten simpelweg over de bakrand vallen. Het sierlijke sneeuwvlokje vindt alles prima, zo lijkt het althans.

De rechtopgaand groeiende planten bieden elkaar de benodigde houvast of springen in de bres wanneer de buurvrouw af en toe een time-out opeist.

Deze plantencombinatie doet het zonder meer het best op een standplaats in de zon tot halfschaduw.

(1) **2 x Spaanse margriet** *(Osteospermum ecklonis)* **'Henry's Pink', roze**

Wat u nodig hebt

2. 2 x elfenspoor *(Diascia vigilis)*, 'Elliott's Variety', roze

3. 1 x struikmargriet *(Argyranthemum frutescens)*, 'Summer Melody', roze

4. 2 x ijzerhard *(Verbena*hybride), 'Cleopatra', oudroze

5. 2 x sneeuwvlokje *(Sutera grandiflora)* 'White', wit

6. 1 x hondsdraf *(Glechoma hederacea)* 'Variegata', witgroen blad

Hoe u moet planten

In het midden van de achterste rij verheffen zich gevuldbloemige roze **struikmargrieten**, die in deze positie absoluut een bijzondere plaats innemen.

De cultivar 'Summer Melody' vertakt zich uiterst gewillig en blijft met maximaal 50 cm bovendien aangenaam compact. Daarmee is de variëteit als geschapen voor de bloembak.

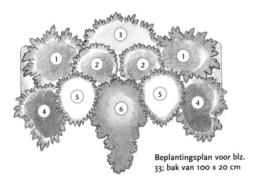

Beplantingsplan voor blz. 33; bak van 100 x 20 cm

Aan weerszijden van de struikmargriet staat **elfenspoor**. De aparte leeuwenbekachtige bloemen verschijnen aan lange, graciele bloempluimen. De standvastige plant groeit recht omhoog en vindt in de directe nabijheid van de struikmargriet en Spaanse margrieten de nodige houvast. Telkens weer verrast elfenspoor

door zijn enorm rijke bloei en voortreffelijke duurzaamheid. Zelfs onder invloed van wind en regen verliest de plant nauwelijks schoonheid. De bloemen van de **Spaanse margriet** zijn onweerstaanbaar charmant. Met de eerste zonnestralen gaan de donkerroze, sprookjesachtige bloemblaadjes open. Helaas leggen veel variëteiten een uitgesproken bloeipauze aan de dag. De nieuwste cultivars beloven in dit opzicht verbetering.

Een markante bladplant is de **hondsdraf**. De scheuten van deze bijzondere plant groeien slank, bijna loodrecht naar beneden en sorteren een nobel en elegant effect. De plant kan in de loop van de zomer tot twee meter over de bakrand bungelen.

De bloemen van de nieuwe variëteiten van **sneeuwvlokje** zijn groter en nauwelijks te overtreffen in hun rijkheid van bloei. De plant is van huis uit een bodembedekker en vormt schitterende bloemenkussens – en is hierdoor altijd weer een uiterst lieftallige bloembakbloem. Het oudrozegekleurde **ijzerhard** (*Verbena*) groeit uitnodigend ver over de rand heen en rondt het totaalbeeld van deze geurende bloembak magistraal af. Onder handbereik voorziet ijzerhard in een welkome rustplaats voor vlinders, bijen en hommels die erg tot deze plant aangetrokken worden.

Hoe u de planten verzorgt

Het harmonieuze kleurenspel schept een zachte en ingetogen stemming met beschaafde werking op afstand.

De rozebloeiende **struikmargriet** heeft van tijd tot tijd een snoeibeurt nodig. Uitgebloeide bloemen kleuren snel bruin en verstoren op den duur het karakter van deze bloembak. De planten prefereren een zonnig plekje en houden ervan onafgebroken voedsel voorgeschoteld te krijgen.

De kwetsbaar ogende **elfensporen** zijn desalniettemin verbluffend robuust en bestand tegen van alles en nog wat.

Wel reageren ze gevoelig op vochtstuwingen. Overmatig gieten of een defect afvoersysteem in de bak kan tot gevolg hebben dat de scheuten bruin kleuren en afsterven. Knip de uitge-

bloeide of opgedroogde bloemenpluimen voorzichtig af om de volgende bloei te stimuleren en te garanderen.

Spaanse margrieten zijn bestand tegen wind en regen. De plant vergt nauwelijks speciale verzorging – met het afknippen van de uitgebloeide bloemen bent u er al.

Let er bij de aanschaf van de planten wel op dat er een duidelijke knoppenaanzet te zien is, want anders verschijnen de prachtige bloemen ietwat vertraagd.

Om hun bloemen volledig te openen willen Spaanse margrieten graag door de zon worden 'gekieteld'. De ochtendzon prikkelt deze 'langslapers' uitstekend om te ontwaken.

De nieuwe **verbena**variëteiten zijn verheugend meeldauwresistent. Toch kan het gebeuren dat, na de eerste koele nachten of bij een lange periode met slecht weer, het karakteristieke wittige 'beslag' op de bladeren verschijnt. Let er daarom bij het gieten al op dat de bladeren overdag kunnen drogen en niet nat de nacht in hoeven te gaan.

Het fragiel ogende **sneeuwvlokje** past zich verrassend goed aan verschillende omstandigheden aan. Alleen in de schaduw loopt de bloei gevaar. Vermijd ook hier een droge kluit.

De bontbladige **hondsdraf** is uiterst robuust en vergt geen speciale verzorging.

Fleurige mix van rood en wit

Dit schema combineert oude, degelijke planten met nieuwe, verrassende soorten. De bloemkleuren zijn overwegend rood en wit. In de loop van de zomer krijgt deze bloembak een onovertroffen uitstraling en zorgt al van ver voor opwinding bij iedere bloemenliefhebber.
Alle planten prefereren een plekje in de zon tot halfschaduw. Ferm en toch zacht nemen de pelargoniums de leiding in handen. Eens te meer ontpoppen ze zich tot betrouwbare partners in de gemeenschap. In deze omgeving krijgen Chinese anjers de kans om af en toe eens uit te rusten in een korte bloeipauze, om later zichzelf weer te overtreffen.

Klassiekers opnieuw gecombineerd

Wie al met de bloemenzee van de nieuwe verbenavariëteiten kennisgemaakt heeft, weet het zeker te waarderen. Het zilver glanzende blad van de strobloem heeft een heel aparte uitstraling en stelt tegelijkertijd het zachte sneeuwvlokje in de gelegenheid zich optimaal te profileren.

1 **3 x tuingeranium**
(Pelargonium x hortorum)
Tango 'Dark Red', veloursrood

36

Wat u nodig hebt

2 x Chinese anjer *(Dianthus chinensis)* 'Telstar White', wit

2 x ijzerhard *(Verbena*hybride) Tukana 'Scarlet', rood

2 x sneeuwvlokje *(Sutera grandiflora)* 'Blizzard', wit

1 x strobloem *(Helichrysum petiolare)* 'Mini Silver', zilverwit behaard blad

Hoe u moet planten

Van oudsher bekend, degelijk en toch in een nieuw kleed – zo presenteren de planten in deze bloembak zich.

De hypermoderne **pelargoniumserie** Tango springt direct in het oog. De rode velours bloemen boven het donkergetekende blad geven een buitengewoon kleurencontrast. De groeivorm is uiterst compact.

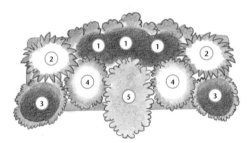

Beplantingsplan voor blz. 37; bak van 100 x 20 cm

Let er daarom goed op dat de planten ervoor en ernaast niet te hoog worden om het effect van de pelargoniums niet in gevaar te brengen. De **Chinese anjers** zijn loyale buren en houden zich heel precies aan de gekozen hoogtelijn. De witte, sierlijke bloemen zijn niet alleen uiterst aantrekkelijk, ze proberen ook voortdurend de dominantie van de pelargoniums te ondersteunen en aan te vullen.

De voorste rij planten pakt het kleurenspel rood en wit consequent weer op, maar dit keer in omgekeerde volgorde.

De scharlakenrode **verbena's** komen aan de rand, zodat ze zich ongeremd kunnen laten hangen. De nieuwe variëteit Tukana 'Scarlet' verbaast ons met haar vroege, scharlakenrode bloemen. Ze ontwikkelt snel een onoverzienbare bloemenzee en het lijkt haast wel alsof er gedurende de zomer maar geen eind wil komen aan de groeiprestatie.

Heel bewust krijgt het **sneeuwvlokje** een plekje richting het midden. Daarmee is gegarandeerd dat verbena's en pelargoniums niet de show stelen ten koste van elkaar en toch krachtig tot hun recht komen. Sneeuwvlokje verstaat het als geen ander om de werking van dominante planten te onderstrepen.

Hetzelfde streeft de **strobloem** in het midden van de rij na. Nooit opdringerig, maar juist uiterst elegant verleent het deze bloembak een bijzonder effect.

Voor het bonte cachet van deze plantencombinatie is de variëteit 'Mini Silver' beslist een van de meest geschikte. Andere cultivars groeien meestal aanzienlijk sterker en neigen ernaar alles te overwoekeren.

Hoe u de planten verzorgt

De verzorging begint met de juiste standplaats. Deze bloembak kan uitsluitend in de volle zon of lichte halfschaduw zijn complete schoonheid ontvouwen.

De planten gedijen eigenlijk zonder problemen en vergen nauwelijks verzorging. Met uitzondering van het sneeuwvlokje zijn het allemaal flinke eters. Regelmatige voeding is dan ook een absolute must. Bij onvoldoende bemesting wordt anders de normale bloemenpracht nauwelijks gerealiseerd.

Met name bij de **pelargoniums** is het verstandig om uitgebloeide bloeiwijzen af te knippen. Niet alleen voor het zicht, maar vooral omdat u zo voorkomt dat de bloemen gaan rotten en alles verzieken. Net als pelargoniums gruwen **anjers** van natte voeten. Denk er bij het gieten dus aan dat 'minder vaak meer kan zijn'.

Anjers bereiken meestal in juli het hoogtepunt van hun bloei. Raadzaam is om al bij de eerste uitgebloeide bloemen met knippen te beginnen. Zo luidt u de volgende bloei in.

Verbena's lassen geen pauze in – tenzij u vergeet te mesten of wanneer de planten constant droog staan. De nieuwe cultivars zijn bovendien meer resistent tegen meeldauw. Let er niettemin op dat de bladeren in de loop van de dag kunnen opdrogen en niet nat de nacht ingaan. Dat veroorzaakt schimmelziekten.

De strobloem zorgt in deze bak met petunia's voor een bijzonder effect.

Meeldauw is een van de bekendste schimmelaantastingen van planten. Bij meeldauw vormt zich een schimmelpluis op de bovenkant van het blad. Houd uw planten dus goed in de gaten en behandel ze, bij schimmelaantasting, zo snel mogelijk.

Hoewel het **sneeuwvlokje** nauwelijks eisen stelt, is een beetje verzorging toch geboden. Bij te grote vochtigheid verkleuren de bladeren geel (chlorose); in het extreme geval ontstaan wortelziekten of sterft de plant af. Als ze te weinig water krijgen, bloeien de planten niet en drogen plantendelen letterlijk uit.

Uiterst robuust en weinig eisend is daarentegen **strobloem**. Bijzondere maatregelen zijn hier niet nodig.

Levensvreugde in bonte kleuren

Bij het zoeken naar nieuwe kleurencombinaties is het raadzaam om bij de keuze van de planten de regels van de kleurenleer toe te passen – daarmee zitten we eigenlijk altijd goed en ontstaan de mooiste combinaties.

Goed bij elkaar passende kleuren bevinden zich in de kleurencirkel op de hoeken van een gelijkzijdige driehoek. Zo ontstaat een zogenoemde kleurendrieklank. Met een doordachte kleurenkeuze kunnen we sterk uiteenlopende effecten toveren: schreeuwend of zacht, koud of warm. Elke kleurschakering oefent haar eigen effect op de kijker uit.

Bont, maar niet ordinair

Ons voorbeeld in de grondkleuren geel, rood en blauw vormt een door en door vrolijk geheel. Zonder ook maar ergens opdringerig te worden, straalt deze 'bonte drukte' pure levensvreugde uit. De kleur wit dient vooral als verbindende schakel tussen twee verschillende blauwe tinten.

Alle planten geven de voorkeur aan een standplaats in de zon tot halfschaduw.

1 **2 x tuingeranium**
(Pelargonium x hortorum)
'Avenida', stralend rood

Wat u nodig hebt

2 x meelsalie
(Salvia farinacea)
'Victoria', blauw

1 x sterafrikaantje
(Tagetes tenuifolia),
'Lulu', geel

1 x blauwe winde
(Convolvulus sabatius)
'Blaue Mauritius', lichtblauw

2 x torenia *(Torenia fournieri)*
Summer Wave 'Large Blue',
blauw

2 x mexicaantje
(Ageratum houstonianum)
'White Hawaii', wit

Hoe u moet planten

Deze bloembak combineert zes verschillende plantensoorten. In het middelpunt op de achterste rij staan de **sterafrikaantjes**. In de loop van de zomer vormen ze haast bolvormige struiken met ontelbare zachte gele bloemen. Het fijne blad en de losse groeiwijze wekken de indruk van een wilde plant.

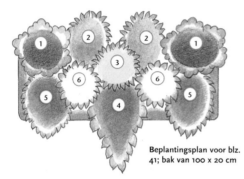

Beplantingsplan voor blz. 41; bak van 100 x 20 cm

Een totaal andere groeiwijze vertoont **salie**. De blauwe bloemtrossen torenen slank op en creëren een optische scheiding tussen de gele afrikaantjes en rode **pelargoniums**. Als rode ballen fonkelen de bloemen van de variëteit 'Avenida' aan de bakrand. Sterk groeiend, robuust en een gegarandeerde bloei tot in de herfst – dat zijn de voortreffelijke eigenschappen van deze pelargonium.

De '**Blaue Mauritius**' voegt een exotische touch toe. Helaas openen de bloemen zich alleen bij zonneschijn.

Bij sterk bewolkte hemel of regen laat de bloei zich verontschuldigen. Maar misschien geeft dat de plant juist wel een bijzondere bekoring en maakt dit haar zo interessant. Let er bij het kopen al op dat er genoeg knoppen zichtbaar zijn, anders verschijnen de bloemen namelijk met enige vertraging.

Het witte **mexicaantje** zorgt voor een harmonieuze overgang tussen de plantenrijen. Gevuld, compact en met een verbazingwekkend rijke bloei is deze soort de ideale bijplant voor de bonte bloembak. In dit geval zijn de witte bloemen een welkome, verbindende schakel tussen de 'Blaue Mauritius' en de diepblauwe *Torenia*-hybriden.

TIP

Bij torenia komt altijd weer chlorose voor. Dat blijkt vooral uit de geelkleuring van jonge bladeren, waarbij de bladnerven aanvankelijk nog groen blijven. Gieten met een speciale ijzermeststof helpt.

Hoe u de planten verzorgt

De klein- en enkelbloemige **sterafrikaantjes** vergen veel minder verzorging dan bijvoorbeeld gevuldbloemige variëteiten. Ze eisen niet veel en passen zich makkelijk in de bloembak aan. Maar regelmatig water geven en mesten staan onontkoombaar op het verzorgingsprogramma van de balkontuinier.

Ook de **siersalie** stelt in dit opzicht eisen. Hier kan het gebeuren dat luizen neerstrijken op de bloempluimen. Soms volstaat het om individuele scheuten te verwijderen; zo niet, dan zult u plantenstaafjes moeten inzetten. Deze kunt u kopen bij elke tuinder.

Denk eraan dat u de centrale scheut afknipt om de zijscheuten te activeren. Laat u dat na, vergeet dan niet om de plant goed te ondersteunen.

Geraniums houden van een zonnige standplaats, volop voedsel en, indien mogelijk, beschutting tegen regen. Kweken 'aan de droge kant' geniet hier de voorkeur. Verwijder uitgebloeide bloemschermen direct, zodat bloemrot geen kans krijgt.

De '**Blaue Mauritius**' voelt zich pas echt prettig in de volle zon. Als deze plant niet voldoende zonlicht heeft, opent ze haar betoverende bloemen niet volledig. De keus van de juiste standplaats heeft hier dus prioriteit. Verder vraagt de plant weinig verzorging.

Torenia's houden van een warm, beschut plekje en ontwikkelen ook als hangplant een enorme bloemenpracht.

Het **mexicaantje** moet u daarentegen van tijd tot tijd snoeien. Vooral de witbloeiende variëteiten neigen ernaar bruin te kleuren. Verwijder daarom regelmatig de uitgebloeide bloemen – niet alleen omwille van hun uiterlijk in de bloembak, maar ook om plaats te maken voor nieuwe bloemen.

Torenia's zijn in hun element in een warme zomer met beschutting tegen wind en regen. Met een goede bemesting en royaal wateraanbod ontwikkelen ze zich tot bijzonder attractieve bloemkussens.

Bloemenpracht voor schaduwrijke plekken

De meeste perk- en bloembakplanten houden van een standplaats in de zon of minstens in de halfschaduw. De bloemenliefhebber kan een 'schaduwbalkon' toch met bloembakken opfleuren. Het assortiment aan planten is daarvoor enigzins beperkt, maar toch altijd nog ruimschoots voldoende om van uw balkon een fris en kleurrijk plekje te maken.

Klassiekers voor de schaduw

Klassieke bloembakplanten die schaduw verdragen, zijn begonia, fuchsia, vlijtig liesje en een hele serie bladplanten.

Daarnaast mag niet worden vergeten dat sommige plantensoorten zich echter prima aanpassen en ook schaduw tolereren.

Met lichte en vriendelijke kleuren probeert ons voorbeeld de beschaduwde plaats van uw terras met licht te vullen. De kleuren geel, abrikoos en karmijnrood brengen de al van verre zichtbare accenten aan. In deze warme atmosfeer wordt zelfs het koele balkon op het noorden een weelderige oase.

① 4 x knolbegonia
(Begonia Tuberhybridagroep)
'Nonstop Goldorange', feloranje

Wat u nodig hebt

① 2 x hangbegonia
(*Begonia* Tuberhybridagroep)
'Illumination Apricot',
geel-abrikooskleurig

③ 2 x balsemien
(*Impatiens* New Guineagroep)
Paradise 'Martinique',
karmijnrood

④ 1 x fuchsia (*Fuchsia*hybride)
'President Georg Bartlett',
magentakleuren/violet

Hoe u moet planten

Deze bloembak wordt beplant met negen prachtige planten.
De kleurencombinatie wekt een gevoel van warmte en verfrissende lichtintensiteit op. Verantwoordelijk daarvoor zijn in de eerste plaats de **knolbegonia's**. Op de achterste rij komen vier feloranje 'Nonstop-begonia's'.

Beplantingsplan voor blz. 45; bak van 100 x 20 cm

Zoals de naam al aangeeft, spreiden deze lange bloeiers, van mei tot aan de eerste vorst, een onovertroffen bloemenpracht tentoon. Ze zijn een aanwinst voor iedere bloembak.
De gevulde bloemen worden door korte, stevige stelen gedragen. Dat garandeert grote standvastigheid, ook onder ongunstige omstandigheden weten ze zich goed te redden.

Let er bij het planten op dat u de exemplaren niet te hoog en niet te diep zet. De kluit mag slechts licht met aarde bedekt zijn. Met een te hoge aanplanting komen de standvastigheid en watervoorziening in het gedrang. Bij een diep ingegraven kluit wordt het risico van ziekten van de wortelhals groter. Als de wortels door schimmels aangetast zijn of aangevreten worden door insecten, dan vertraagt de groei aanzienlijk.
Hetzelfde geldt overigens ook voor de **hangbegonia's** in de voorste rij. Ze presenteren zich uiterst imposant en opvallend, een ware streling voor het oog. De gebruikte variëteit ontwikkelt fraaie, tien centimeter grote, gelig tot abrikooskleurige bloemen. De groeivorm van 'Illumination Apricot' is ten opzichte van de partnercultivars eerder compact, maar de bloemen stralen onweerstaanbaar. Daarnaast komen nog eens twee andere, belangrijke schaduwplanten: de **balsemien** met haar wonderschone, krachtig karmijnrode bloemen en de overhangend groeiende **fuchsia** met magentakleurige kelk en violette kroon. De keuze van de variëteit hangt hier af van de gewenste kleur en de groei.
Beide plantensoorten hebben in dit opzicht veel te bieden. Zo worden er duizenden fuchsiacultivars gekweekt. Van de balsemien zullen het er niet veel minder zijn.

Hoe u de planten verzorgt

De stralende kleuren van de hangbegonia vullen de beschaduwde standplaats met licht en warmte.

Bijna geen andere plant is zo gemakkelijk te verzorgen en bloeit toch zo rijk als de **knolbegonia**. De bloemen kunnen uitstekend tegen regen, maar met hun gewicht stellen ze grote eisen aan de stevigheid van de plant. De vlezige stelen lopen dan ook gevaar te breken. Winderige plaatsen zijn zodoende niet heel gunstig. Knolbegonia's houden van een gelijkmatig vochtig substraat, wat voor het gebruik in bloembakken dus neerkomt op een waterreservoir. De fijne haarwortels zijn voortdurend op zoek naar water en voedsel om op krachten te komen en onvermoeibaar de groei aan de gang te houden.

Balsemien staat het liefst op een warme, beschutte plek en bloeit lang in de schaduw of halfschaduw. Met een geschikte variëteit en voldoende water zijn echter ook zonnige standplaatsen mogelijk. Voor de rest is de New Guineagroep altijd dorstig en dus kan ze nauwelijks zonder haar dagelijkse waterrantsoen. Bij korte droogteperioden reageren de planten al met symptomen van verwelking. Treden die inderdaad op, dan is gieten noodzakelijk om erger te voorkomen. Bij langere perioden met slecht weer is het raadzaam om beschadigde bladeren en uitgebloeide bloemen af te knippen om rotten te voorkomen.

Fuchsia's behoren niet voor niets tot de traditionele bloembakplanten. Om langere bloeipauzes te vermijden en de toekomstige bloei te garanderen moeten de planten steeds over voldoende water en voedsel beschikken. Grauwe schimmel en roestzwam treden eerder op wanneer de planten verzwakt of onvoldoende verzorgd worden. Snoei fuchsia's daarom van tijd tot tijd een beetje bij; vergeet daarbij niet verwelkte bloemen te verwijderen om zaadvorming te vermijden.

Inspecteer de planten meteen op schadelijke insecten. Een zekere vatbaarheid voor witte vlieg, spintmijt en bladluizen is jammer genoeg eigen aan deze bloemensoort.

Een bloembak
vol geuren

Mediterrane geuren wekken vaak aangename herinneringen op. Dankzij planten die deze zoete geuren verspreiden kan de droom van het zuiden ook op het kleinste balkon gerealiseerd worden. Sluit dus uw ogen en laat u meevoeren naar het rijk der geuren. Adem het aroma van maquis, lavendel of vanille, van vakantie en zorgeloosheid in. Zet ramen en deuren open en laat de verrukkelijke geuren de kamer binnenstromen.

Heerlijke, avondlijke geuren

Veel planten ontplooien pas 's avonds of na een warme regenbui hun intensiefste geuraroma. Dit is de geur die u naar een luie stoel op het balkon lokt, of u een beetje mee op reis neemt. Dan kunt u onderuitzakken en de mooiste uren van de dag in vakantiestemming doorbrengen. En u kunt zich ondertussen ook nog eens verheugen over het groeien en bloeien van de planten. Laaf u aan de telkens weer opnieuw verschijnende bloemen en de fijne bladeren, aan het bezoek van de bijen en bonte vlinders.

1

3

1 **2 x kerrieplant**
(Helichrysum italicum),
gele bloemen, zilvergrijs blad

Wat u nodig hebt

(2) 3 x tuinheliotroop
(Heliotropium arborescens)
'Marine', blauw

(3) 2 x citroentijm
(Thymus x citriodorus),
witgroen blad

(4) 2 x lavendel
(Lavandula angustifolia)
'Hidcote Blue', blauw

(5) 1 x mottenkruid
(Plectranthus forsteri),
groen-wit blad

Hoe u moet planten

Deze bloembak combineert vijf plantensoorten, elk met een andere geurrichting. Samen vormen ze een welriekend, kruidig geurenmengsel, zoals dat eigenlijk alleen in een mediterraans klimaat kan voorkomen. De overwegend blauwe tinten van de bloemen brengen u bovendien in een ontspannen en zeer verkwikkende vakantiestemming.

Beplantingsplan voor blz. 49; bak van 100 x 20 cm

Een heerlijke vanillegeur verspreidt de **tuinheliotroop**. De planten groeien recht de hoogte in en worden in de bloembak, afhankelijk van de variëteit, tot 50 cm hoog.
In dit geval is heliotroop de dominante plant, die gedurende het jaar betrouwbaar diepdonkerblauwe tuilen ontwikkelt. Voor de achterste rij is de cultivar 'Marine' alleen al door haar groeihoogte geschikter dan bijvoorbeeld de kleinere en meer compact groeiende variëteit 'Mini-Marine'.

Links en rechts daarvan komt een **kerrieplant**. Hier springt het fijne, zilverig glanzende blad direct in het oog.
De gele, sierlijke bloemen verschijnen meestal wat later, zonder veel opzien te baren. Wie de 'vingerproef' uitvoert en de bladeren tussen duim en wijsvinger wrijft, ervaart het volle aroma van de maquis.

Hetzelfde geldt voor de **citroentijm**. In zijn bladeren zit een verfrissende citroensmaak verborgen.
De planten vormen kussentjes en staan daarom het beste op de voorste rij. De bloemen zijn eerder onopvallend, maar het sierlijke witgroene blad is uiterst elegant. Ze vormen een subtiele overgang met de andere planten.

Jonge **lavendel**plantjes groeien naar verhouding langzaam en worden tot de herfst circa 40 cm hoog. Boven het zilvergrijze blad verschijnen zachtblauwe pluimen. Met zijn intensieve aroma is lavendel een bijna klassieke geurplant die bij iedereen in de smaak valt.

Mottenkruid verspreidt de geur van wierook. Nu is dat niet ieders smaak, maar alleen al om zijn groeikracht en blad met attractieve patroon is de plant haast een must.

Hoe u de planten verzorgt

Alle plantensoorten in deze bloembak houden van een zonnige en warme standplaats. Zowel de kerrieplant, als de lavendel of het citroentijm, in principe stellen alle soorten nauwelijks verzorgingseisen.

Let, behalve op de juiste standplaats, ook op voldoende water en voeding. Vermijd hoe dan ook vochtstuwingen.

Mottenkruid is daarnaast een modelvoorbeeld voor bijzonder robuuste bloembakplanten. Tot aan de herfst vormen zich tot twee meter lange scheuten, die altijd nog attractief zijn wanneer vele andere plantensoorten het bijltje er al bij neergelegd hebben.

Alleen de **tuinheliotroop** danst in dit ensemble enigszins uit de maat. De plant voelt zich alleen prettig wanneer ze echt regelmatig water krijgt. Door te weinig water kan immers bladverbranding optreden. De bladeren drogen dan letterlijk in en kleuren haast zwart. Een bloembak met watervoorraad kan hier de verzorging vergemakkelijken.

De uitgebloeide pluimen van heliotroop kleuren bruin. Knip ze af om de volgende bloei een kans te geven. Desgewenst kunt u heliotroop na het balkonseizoen verpotten en licht en koel laten overwinteren. Met een beetje handigheid kunt u de planten dan het volgende jaar opnieuw gebruiken of als kuipplanten kweken.

Geurgeraniums vormen naar verhouding weinig, maar zeer aantrekkelijke bloemen. De cultivar 'Citronella' verspreidt een aangename citroengeur.

Plant **lavendel** na het balkonseizoen in de volle grond. De struikjes zijn meerjarig en beslist winterhard. Overwinteren in de bloembak is minder raadzaam, omdat de kluiten gevaar lopen te bevriezen en de planten meestal uitdrogen. Oudere planten hebben het voordeel dat ze direct een rijke bloei geven in de zomer. De plantafstand van deze grotere planten bedraagt 40-45 cm. Er bestaan minstens 250 variëteiten van lavendel en de meeste soorten bloeien blauw, maar er zijn ook witte en roze soorten.

Wat u ook kunt nemen

i.p.v. (2) 3 x geurgeranium **(Pelargonium x hortorum)** 'Citronella', roze met oog. De planten verspreiden een aangename citroengeur.

Lekkernijen uit de bloembak

Wie op het balkon kruiden en groenten kweekt, wil natuurlijk die lekkernijen ook oogsten. De beginner kan zich in eerste instantie uitleven met eenvoudige groentesoorten en zo de nodige ervaring opdoen. Gevorderde moestuiniers weten al dat aan het kweken van waardevolle vitamineleveranciers nauwelijks grenzen worden gesteld.

Tips voor de opstelling

Net als bij aanplanting met zomerbloemen spelen ook hier groeivorm, blad- en vruchtkleur en bloei een belangrijke rol.

Benut de aanwezige ruimte aan alle kanten. Plant rechtopgaande, hoog wordende, dominante planten achteraan en lage of hangende soorten op de voorste rij. Zo bent u er zeker van dat u de door de bloembak geboden ruimte optimaal benut. Als vuistregel geldt: één plant per tien centimeter bloembak. Wilt u niet van de bonte kleurvlekken van zomerbloemen afzien, dan kunt u ze uiterst effectvol in uw 'moestuintje' integreren.

1. 4 x suikermais
(Zea mays)

2. 1 x pepino
(Solanum muricatum)
'Pepino Gold'

Wat u nodig hebt

Hoe u moet planten

Niet elk balkon is even geschikt voor groenten en kruiden. Hoe lichter en zonniger de standplaats, des te weelderiger de groei en des te groter de oogst.

De beste condities daarvoor bieden balkons op het oosten of westen. Terwijl een balkon in de schaduw minder geschikt is, kan het op het balkon op het zuiden zonder watervoorziening al snel te heet worden. Zon en voldoende water zijn de succesformule.

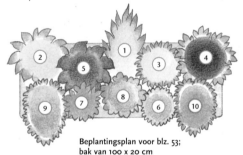

**Beplantingsplan voor blz. 53;
bak van 100 x 20 cm**

Veel groentesoorten houden bovendien van een plekje met beschutting tegen de wind. Totaal ongeschikt voor het kweken van heerlijke groenten zijn balkons aan straten met druk verkeer. De zelfgekweekte groenten moeten immers zo veel mogelijk vrij van schadelijke stoffen en uiterst gezond zijn.

In ons 'moestuintje' komen op de achterste rij pepino, roodstelige biet, dille, suikermais en struiktomaten.

Op de voorste rij maken de keukenkruiden hun opwachting: **rozemarijn**, **basilicum**, **oregano** en **tijm**. Tot slot is nog een blauwe lobelia deze gemeenschap binnengeslopen.

De aldus samengestelde beplanting met groenten en kruiden kan, wat het uiterlijk betreft, met elke bloembak wedijveren.

Daarvoor zorgen alleen al de imposante **mais**-planten, die in de bloembak snel tot één meter hoog opschieten. In combinatie met **dille** brengt mais duidelijke accenten aan.

Niet minder attractief is de **snijbiet** met zijn rode stelen. Deze blad- en stengelgroente wordt solitair in een grote pot tot 80 cm hoog, maar blijft in de bloembak iets lager.

Tomaten en **pepino's** kunt u het gemakkelijkst als struik kweken, dus niet geleid. Aan de uiteinden van de achterste rij geplant, hangen de vruchten over de bakrand.

Waar tomaten worden geplant, mag **basilicum** niet ontbreken, aangezien ze vaak samen in gerechten gebruikt worden. Aan welke kruiden u uiteindelijk de voorkeur geeft, hangt af van wat u werkelijk in de keuken wilt gebruiken – want nagenoeg alle keukenkruiden kunt u probleemloos in de bloembak kweken.

Hoe u de planten verzorgt

Mais vormt een tot twee kolven per plant. Oogstrijpheid herkent u aan de verschijnende bruine stijlen. De kolven kunnen gegrild, gekookt of rauw worden gegeten. Bijzonder zoete variëteiten zijn 'Golden Supersweet' en 'Early Extra Sweet'.

Plant **dille** met kluit. Ondersteun de planten bij het inzetten van de bloei om omkiepen te voorkomen. In de keuken worden vooral de fijngehakte scheuttoppen en bloemschermen in sauzen, salades en visgerechten gebruikt. Dit kruid is een must voor uw moestuin.

Snijbietribben bereidt u als asperges, snijbiet als spinazie. Biet kunt u in de bloembak altijd naar behoefte oogsten. Dat heeft het grote voordeel dat u de bladeren telkens vers kunt verwerken in een gerecht en dat ze niet verwelken voordat ze de keuken bereikt hebben. Het verschil zult u zeker proeven!

Tomaten houden van beschutting tegen de regen. Een constant nat blad leidt bij alle soorten tomaten tot rot. Let er daarom bij het gieten al op dat de bladeren droog blijven.

'Balkonstar' is een struiktomaat en hoeft daarom niet gediefd te worden. Een bamboepaal vergroot de stevigheid en helpt het gewicht van de vruchten te dragen. Oogst de tomaten wanneer ze het lekkerst smaken, namelijk als ze mooi rood en rijp zijn.

Deze 'moesbak' kan zich qua uitzicht met elke bloembak meten.

Ondersteun **pepino's** tijdig om de struikvorming te stimuleren. De vruchten zijn oogstrijp wanneer ze gelig kleuren, meestal gebeurt dit pas midden augustus. U kunt pepino's vers eten, maar er ook jam van maken.

De in het voorbeeld gebruikte **keukenkruiden** vergen geen bijzondere verzorging. Belangrijk is alleen om ze regelmatig vochtig te houden en matig te mesten. Hetzelfde geldt overigens voor de blauwe tuinlobelia die het geheel prachtig opfleurt.

Wat u ook kunt nemen

i.p.v. ② **paprika (*Capsicum annuum*).**
De vruchten zijn afhankelijk van het ras mild of scherp en rijpen zeer attractief. Ze zijn er in geel, oranje en rood. Voorbeelden van rassen zijn 'Medusa', mild, en 'Cheyenne', zeer scherp.

Bloembakken in de praktijk

Kopen

Perk- en balkonplanten worden tegenwoordig al vroeg, vanaf half april, aangeboden en gekocht. Vroeger gaven de 'ijsheiligen' onmiskenbaar het startschot voor het balkonseizoen. Het gebruikersgedrag is hier dus fundamenteel veranderd. Alles kijkt uit naar de zomer en wil de start van het nieuwe balkonseizoen niet missen. Daarom ons dringend advies: dek de plantenbakken bij gevaar voor late vorst af of haal ze naar binnen.

Potten en bakken

Belangrijk is dat de plant voldoende substraatvolume heeft, omdat de waterhuishouding en voedselopname in het wortelgebied daardoor aanzienlijk beïnvloed worden. Raadzaam zijn daarom bloembakken met zowel een breedte als diepte van minstens 20 cm. Let, ongeacht de bak of pot, op een goede waterafvoer. Opgepast: veel planten 'verzuipen' letterlijk in hun bak. Controleer de afvoergaten tijdens het seizoen regelmatig om vochtstuwingen in het substraat te vermijden. Potscherven of iets dergelijks over het gat verrichten hier waardevolle diensten.

Wie planten van een uitstekende kwaliteit koopt, zou ook niet op het substraat mogen besparen.

Substraat

Koopt u kwalitatief goede planten, dan zou het vreemd zijn om op het substraat te besparen.

Goede potgrond bevat hoofdvoedingsstoffen en spoorelementen. Gewoonlijk is de voedselvoorraad voldoende voor drie tot vier weken, zodat u niet meteen hoeft te mesten. Vermenging van klei van goede kwaliteit zorgt in het substraat voor een gelijkmatige waterverdeling en reduceert het gevaar van overbemesting.

Algemene potgrond voldoet aan al deze eisen. Reken voor een bloembak van 1 meter bij 20 centimeter op ongeveer 35 liter substraat. Bij gebruik van eigen compost verdient een voorafgaand substraatonderzoek aanbeveling, omdat er vaak sprake is van een zeer hoge pH-waarde en dito zoutgehalte.

Bovendien kunnen schimmels en andere ziektekiemen in de

Stap voor stap planten: let er bij het verpotten al op dat de wortels wit en gezond zijn.

Plaats de kluit niet te hoog, maar ook niet te diep.

Giet na het planten volop.

compost het kweeksucces in gevaar brengen.

Planten

Raadzaam is om vóór het planten de uitgedroogde kluit al in een waterbad onder te dompelen.

Let bij het planten zelf op de goede plantdiepte. Niet te hoog, want dan droogt de kluit razendsnel uit; bovendien lijdt de plant dan meestal watergebrek. Maar ook weer niet te diep om rotten rond de wortelhals te vermijden. Een gietrandje van ongeveer 2 cm bespaart onnodige ergernis. Druk de planten aan en geef flink water. Het balkonseizoen kan beginnen.

Regels voor de opstelling

Een zeer belangrijke basisregel bij het opstellen van bloem- bakken: houd rekening met de groei van de planten. De hoge, staande planten komen meestal achteraan. Plant in de gaten tussen de beplanting de lage soorten en op de voorste rij de hangplanten.

De vakman onderscheidt dominante planten of degelijke balkonplanten, die de basisstructuur in de bak bepalen, en bijplanten, die als het ware de garnering zijn en speel-

Bloembakken in de praktijk

Let op een voldoende brede gietrand.

ruimte met de vormgeving bieden. Voor de rest worden alle bodembedekkende perkplanten aan de rand geplant, evenals de hangplanten. Met deze principes kan de bloembak heel goed met verschillende hoogten en diepten georganiseerd worden.

Bemesting

Voldoende voeding en water vormen de sleutel tot succes bij het kweken. De in de grond aanwezige voedingsstoffen zijn meestal snel verbruikt en moeten door bemesting worden aangevuld. Mest minstens met tien dagen tussenpauze 1 tot 3 gram van een samengestelde meststof per liter water. Hanteer als grove richtlijn: 10 gram meststof (of de verhouding van de voedingsstoffen $N : P : K = 15 : 11 : 15$) in 5 liter water opgelost, volstaat voor een bloembak van één meter lengte. Geef in totaal gedurende de zomerperiode van twaalf weken 50 tot 75 gram meststof per strekkende meter bloembak. Vindt u dat te veel moeite, neem dan een zogenoemde **langwerkende meststof** (ook wel 'slow-releasemeststof' genoemd). U kunt deze al bij het planten door het substraat mengen. Ga in dit geval uit van 5 gram per liter substraat;

zo is de voeding gedurende een heel seizoen tot op vrij grote hoogte verzekerd. De voedingsstoffen komen langzaam vrij naargelang van de substraatvochtigheid en temperatuur. Sinds enige tijd is deze bemestingsvorm ook mogelijk door middel van 'meststaafjes'. U steekt ze eenvoudig in de grond. Een recentere ontwikkeling zijn tabletten.

Regelmatig mesten is in de bloembak de sleutel tot succes.

Neem, ongeacht de vorm, altijd de gebruiksaanwijzing in acht.

Water

Op warme zomerdagen kunnen de planten wel tot tien liter water per strekkende meter bloembak nodig hebben. Anders gezegd: op zo'n extreme dag volstaat één keer gieten niet voor een optimale watertoevoer. Als u het gieten maar een vervelend karweitje vindt, kunt u een half- of **volautomatisch bewateringssysteem** overwegen. Er zijn drie typen te onderscheiden.

Bloembak met watervoorraad en kousjes

Een tussenbodem in de bak scheidt het waterreservoir en het substraat. Zuigende kousjes transporteren het water van onderen naar boven, naar de wortels toe. Afhankelijk van de grootte van de bak bevat het reservoir tot 10 liter. Deze waterhoeveelheid kan soms toereikend zijn om een lang weekend te overbruggen en reduceert het gieten aanmerkelijk.

U vult de bak met de gieter of tuinslang. Door middel van een metertje of kijkglas kunt u de waterstand controleren. Belangrijk is een goede overloop om te voorkomen dat het wortelgebied te nat wordt. Schakelt u bloembakken met slangen in serie, dan hebt u een 'startbak' nodig. In deze bak bevindt zich een vlotter, die automatisch het bijvullen start zodra de waterstand onder een ingesteld niveau komt. De startbak is meestal direct op de waterleiding aangesloten.

Let erop dat de afzonderlijke bloembakken waterpas op een egaal vlak staan. Met dergelijke systemen hoeft u tijdens het hele seizoen niet meer zelf te gieten en krijgen uw planten toch voldoende water.

Een bloembak met watervoorraad kan ook wel eens een weekend overbruggen.

Zelfregelende druppelaars

In dit geval reageren afzonderlijke druppelaars op de grondvochtigheid. Dit is vooral handig als u meerdere bakken hebt die allemaal andere eisen stellen. Het speelt geen rol of een bloembak in de zon of schaduw staat. Naast de wateraansluiting hebben al deze systemen een drukre-

Bloembakken in de praktijk

Druppelaars reageren individueel op de substraatvochtigheid.

Druppelsystemen met magneetventiel

Basisvoorwaarden voor dit type systeem zijn een wateraansluiting en stroombron buiten. Op de waterkraan worden een magneetventiel (24 volt) en drukregelaar aangesloten om de bestaande leidingsdruk te verlagen tot 1 bar. De automatische regeling vindt plaats door middel van een grondvochtigheidsmeter (tensiometer) en het schakelapparaat. De duur van het gieten en het aantal druppelaars bepalen de hoeveelheid water.

Hebt u geen directe stroomaansluiting, dan kunt u uw toevlucht nemen tot een bewateringscomputer op batterijen. U sluit het systeem rechtstreeks op de waterkraan aan. Het werkt met vochtsensors of een schakelklok. Per dag kunt u zo maximaal zes keer water geven. Desgewenst kunt u met dit systeem, behalve het balkon, ook perken met planten en groenten, de kas en ook het gazon besproeien. Schrik er niet voor terug, speciale technische vaardigheden komen er niet bij kijken.

Snoeien

Uitgebloeide bloeiwijzen verstoren vaak de balkonbeplanting en zouden alleen al omwille van het uitzicht moeten worden verwijderd. Vooral bij planten met gevulde bloemen rotten de bloemen bij langdurige vochtigheid al snel. Knip ze daarom preventief af. Veel balkonbloemen vormen bovendien na de bloei zaden en vruchten, wat tot een ongewenste bloeipauze leidt. Regelmatig afknippen van de uitgebloeide bloemen verhindert de zaadzetting en bevordert daardoor de vorming van nieuwe bloemen. En al doende kunt u meteen op ongedierte en ziekten controleren – de bloemen belonen u met nieuwe, oogverblindende schoonheid.

gelaar met zeef, verdeelslang en druppelaars nodig. De substraatvochtigheid wordt direct op de druppelplaatsen bepaald. Elke druppelaar kan individueel worden ingesteld. De hoeveelheid water kunt u tot slot ook regelen met een aantal druppelaars per bak.

Register

Title of the original German edition: *BLV GartenRezepte: Balkonkästen*
© MMII BLV Buchverlag GmbH & Co. KG, München/GERMANY
All rights reserved.
© Zuidnederlandse Uitgeverij N.V., Aartselaar, België, MMVIII.
Alle rechten voorbehouden.
Deze uitgave door: Deltas, België-Nederland.
Nederlandse vertaling: Hajo Geurink
Gedrukt in België

D-MMVII-0001-261
NUR 424

Fotoverantwoording:

Beck: 61b; Borstell: 47; Redeleit: 57; Reinhard: 57; Rückszio: 55; Stein: 60; Strauß: 1, 2, 5, 7, 11, 15, 19, 23, 27, 31, 35, 39, 56, 43, 58o, 58b, 59, 61o

Omslagfoto: Ursel Borstell
Tekeningen: Ruth Fritzsche

Omslagfoto's:
Voor: Seidl
Voorflap/buitenkant: Borstell: ml, mr, ol; Reinhard: bl, br, om; Renner Grafik, A-Neumarkt: bm; Rückszio: or;
Voorflap/binnenkant links: Haas: bl; Reinhard: ol; Seidl: or; Strauss: bm, br, ml, mm, mr, om
Strauss: mm
Voorflap/binnenkant rechts: Borstell: bl, or; Haas: bm, ml, mr; Reinhard: br; Rückszio: ol; Strauss: mm, om
Achterflap/buitenkant: Borstell: mm; Haas: mm, bm, or; Reinhard: bl, om; Seidl: mr; Strauss: br, ml, ol
Achterflap/binnenkant links: Borstell: bm, ol, om, or; Rückszio: br, ml; Strauss: bl, mr
Achterflap/binnenkant rechts: Reinhard: bl, ol; Strauss: bm, ml; Strauss: br, mm, mr, om, or

Omslagontwerp: Joko Sander Werbeagentur, München